Business Stories | numéro 8

WIKIPÉDIA

L'ENCYCLOPÉDIE LIBRE ET COLLABORATIVE

— Retour sur le succès d'un projet totalement innovant

par Guy Delsaut

50MINUTES

WIKIPÉDIA

LE SUCCÈS D'UN PROJET EN THÉORIE IMPOSSIBLE

En 15 années d'existence, l'encyclopédie libre *Wikipédia* s'est imposée comme l'un des sites les plus consultés au monde. Un succès étonnant car, en théorie, rien ne la prédisposait à un tel développement. Lancée le 15 janvier 2001 par l'homme d'affaires américain Jimmy Wales (34 ans) et son compatriote Larry Sanger (32 ans), l'encyclopédie participative ne doit au départ servir que de porte d'entrée à une autre encyclopédie numérique libre, d'un fonctionnement plus classique. Mais la technologie wiki qui permet à ses fondateurs d'en faciliter l'édition se révèle étonnamment efficace. L'idée d'une encyclopédie collaborative germe alors dans l'esprit des deux hommes. *Wikipédia* est née !

Très vite, d'autres versions linguistiques font leur apparition. L'édition française en est l'une des premières. Aux quatre coins du monde, des wikipédiens, comme on les appelle, contribuent à des articles existants, les actualisent, en créent de nouveaux pour un public toujours plus large. Le contenu s'étoffe rapidement : en octobre 2004, la barre du million d'articles, toutes éditions confondues, est atteinte. Une quinzaine d'années après sa création, plus de 37 millions d'articles sont disponibles dont 1,7 million en français. L'édition anglophone est de loin la plus étendue avec plus de 5 millions d'articles.

Gérée par la Wikimedia Foundation depuis 2003, *Wikipédia* n'est pas un produit commercial. Ses coûts de fonctionnement sont couverts principalement par des dons de particuliers, d'entreprises et d'associations. Personne ne peut contester le succès de cette encyclopédie dont le modèle – inédit – semblait voué à l'échec mais qui, au fil des ans, est devenue une source de référence planétaire.

Quelques données

- **Fondateurs ?** Jimmy Wales (homme d'affaires américain, fondateur de la société Bomis, 34 ans) et Larry Sanger (docteur en philosophie, engagé comme rédacteur en chef, 32 ans).
- **Début du projet ?** Janvier 2000 (engagement de Larry Sanger).
- **Lancement ?** 15 janvier 2001.
- **Secteur d'activité ?** Information et ouvrages de référence.
- **Chiffres clés ?**
    - 2002 : 19 éditions linguistiques ; 21 000 articles.
    - 2003 : 52 éditions linguistiques ; 149 000 articles.
    - 2004 : 107 éditions linguistiques ; 440 000 articles.
    - 2005 : 161 éditions linguistiques ; 1,4 million d'articles.
    - 2015 : 289 éditions linguistiques ; 34,3 millions d'articles.
    - 2016 : 289 éditions linguistiques ; 37,9 millions d'articles disponibles, dont 1,7 million en français et 5 millions en anglais.

MISE EN CONTEXTE : LES ENCYCLOPÉDIES FACE AU NUMÉRIQUE

LE SECTEUR DES ENCYCLOPÉDIES

Si l'on consulte *Le Petit Larousse illustré*, on apprend qu'une encyclopédie est un « ouvrage où l'on expose méthodiquement ou alphabétiquement l'ensemble des connaissances universelles (encyclopédie générale) ou spécifiques d'un domaine du savoir (encyclopédie spécialisée) » (*Le Petit Larousse illustré 2004*, Paris, Larousse, 2003). De tout temps, l'homme a cherché à exposer et à transmettre son savoir. L'écriture, puis l'imprimerie et enfin le Web ont largement favorisé cette tâche. Au fil des siècles, les ancêtres des encyclopédies ont pris différentes formes et différents noms.

Le mot « encyclopédie » apparaît au XVIe siècle, mais c'est deux siècles plus tard que naissent les encyclopédies modernes, en Angleterre avec la *Cyclopaedia* d'Ephraïm Chambers (1680-1740) et en France avec *L'Encyclopédie ou Dictionnaire raisonné des sciences, des arts et des métiers* de Denis Diderot (1713-1784) et Jean le Rond D'Alembert (1717-1783). Ces derniers font participer de grandes personnalités de l'époque : Voltaire (1694-1778), Rousseau (1712-1778) ou Buffon (1707-1788) signent certains articles. C'est aussi au cours du XVIIIe siècle que naît l'*Encyclopædia Britannica*, encore éditée aujourd'hui. Au XIXe siècle, puis au XXe, les encyclopédies prennent véritablement leur envol et deviennent des produits tant commerciaux qu'idéologiques. Chaque grand pays publie la sienne : la *Brockhaus Enzyklopädie* en Allemagne (1808), l'*Encyclopedia Americana* aux États-Unis (1829) ou la *Grande encyclopédie soviétique* en URSS (1926). En France, dans le monde des ouvrages de référence, les éditions Larousse sont incontournables. Son encyclopédie change néanmoins plusieurs fois de nom. Pour la concurrencer, l'*Encyclopaedia Universalis* apparaît à la fin des années soixante.

À côté de ces prestigieuses encyclopédies en plusieurs volumes, le secteur des livres de référence doit aussi compter sur des ouvrages tels que *Quid*, encyclopédie en un seul volume destinée au grand public, tandis que la collection « Que sais-je ? » est elle aussi considérée comme une encyclopédie, même si chaque volume ne traite que d'un seul sujet.

LES DÉFIS FACE AU NUMÉRIQUE ET À INTERNET

Le XXe siècle voit se développer l'informatique. Les ordinateurs font leur apparition dans les entreprises, puis dans les foyers. Les textes ne reposent désormais plus uniquement sur du papier mais aussi sur des disques durs, des disquettes, puis des CD-Rom, des DVD, des clés USB, etc. Les ordinateurs communiquent de plus en plus en réseau et dans les années quatre-vingt-dix se développent Internet et le World Wide Web.

Le numérique offre de nouvelles possibilités et révolutionne bon nombre de médias. Leurs éditeurs, parfois anciens, doivent s'adapter. Dans le monde des encyclopédies, l'*Academic American Encyclopedia* est la première à entrer dans le monde virtuel en 1985, grâce à son édition sur CD-Rom. Elle ne contient alors aucune illustration multimédia. En 1993, le géant informatique Microsoft vient bousculer le secteur. Il lance *Encarta*, une encyclopédie multimédia sur CD-Rom. Moins chère, plus attractive et moins encombrante que les nombreux volumes d'*Universalis* ou de *Britannica*, elle rencontre un succès certain. Petit à petit, les éditeurs traditionnels se lancent, eux aussi, dans des versions électroniques de leur encyclopédie, vendues sur CD-Rom, puis sur DVD.

Les supports optiques permettent désormais les illustrations multimédias, la recherche en texte intégral ou des mises à jour. De plus, les coûts de production d'un CD-Rom ou d'un DVD sont sensiblement inférieurs à ceux d'une impression en plusieurs volumes.

Mais qu'en est-il du Web ? Lui aussi apporte son lot d'avantages, notamment la mise à jour rapide. Les grands éditeurs se lancent dans des versions en ligne sur abonnement : *Britannica* en 1995, *Universalis* en 1999. Mais leur modèle est-il suffisamment transposable sur le Web ? Comme l'avait fait *Encarta*, l'arrivée de *Wikipédia* en 2001 va elle aussi chambouler la sphère des encyclopédies, au point d'en faire disparaître certaines.

LES PRÉMICES : DE *NUPEDIA* À *WIKIPÉDIA*

L'ENTREPRENEUR ET LE PHILOSOPHE

À l'origine de *Wikipédia*, il y a deux Américains : Jimmy Wales (né en 1966) et Larry Sanger (né en 1968). On doit au premier l'idée de l'encyclopédie libre et au second l'idée de la technologie qui fera son succès. Après avoir étudié la finance, Jimmy Wales devient directeur de recherche chez un trader de Chicago. Il fait fortune en spéculant sur les taux d'intérêt et les taux de change. Passionné par Internet, il crée, en 1996, sa propre société, Bomis. Son principal produit est un portail web, qui se spécialise petit à petit dans les images érotiques. Les revenus de la société proviennent principalement de la publicité. Parallèlement à son activité professionnelle, Wales s'intéresse à la philosophie et particulièrement à l'objectivisme. Il fréquente des listes de discussions philosophiques et modère même l'une d'entre elles.

BON À SAVOIR

La liste de discussion consiste en un genre de forum par abonnement et par e-mail. L'intéressé s'inscrit sur la liste et reçoit à partir de ce moment tous les e-mails diffusés sur cette liste, auxquels il peut répondre. Ses messages seront à leur tour envoyés à tous les abonnés, éventuellement après validation par un modérateur.

C'est dans cet environnement virtuel, au début des années quatre-vingt-dix, qu'il rencontre le philosophe Larry Sanger, lui aussi modérateur d'une liste de discussion et passionné d'Internet. De 1998 à 2000, Sanger gère l'un des sites les plus consultés sur la problématique du bug de l'an 2000. De son côté, Wales a l'idée, en 1999, de développer une encyclopédie libre sur Internet. Une vieille passion ! Enfant déjà, il s'intéressait aux ouvrages de référence, passant des heures dans l'*Encyclopædia Britannica* ou la *World Book Encyclopedia*. Pour l'aider, il fait appel au philosophe Larry Sanger et l'engage au sein de Bomis comme rédacteur en chef d'un site qui doit s'appeler *Nupedia*.

L'idée consiste à construire une encyclopédie écrite par des spécialistes volontaires et revue par des experts. La grande nouveauté réside dans la gratuité et dans la licence d'édition. Les articles de l'encyclopédie seront redistribuables gratuitement selon les termes de la Nupedia Open Content License. L'encyclopédie sera financée par la publicité et lancée en mars 2000. Mais le processus éditorial, comprenant une validation et des corrections, est lent. Larry Sanger propose alors d'utiliser une nouvelle technologie : le wiki, permettant d'éditer facilement des pages web. *Wikipedia* naît alors, le 15 janvier 2001. Elle ne devait pas devenir une encyclopédie à part entière mais n'être qu'un outil permettant aux différents intervenants de travailler sur les articles qui seraient ensuite insérés dans *Nupedia*.

LE SAVIEZ-VOUS ?

Contrairement à l'idée initiale, il n'y a aucune publicité sur *Wikipédia*. Ce choix est délibéré et rappelé régulièrement par son fondateur lors des appels aux dons.

LE CHOIX DU « LIBRE »

Définir le "libre"

Dès la création de *Nupedia*, Jimmy Wales choisit d'adopter le « libre ». Qu'entend-on par là ? Les œuvres originales sont protégées dans nos sociétés par le droit d'auteur, pendant toute la vie de celui qui en est le concepteur et même au-delà (pour la France et la Belgique, jusqu'à

70 ans après la mort de l'auteur ; 50 ans au Canada). Un texte, une photo, un dessin, une chanson ne peuvent être diffusés qu'avec l'accord du ou des auteurs ou ayants droit, et généralement contre rétribution. Le « libre » ne vise pas à priver les auteurs de leur paternité, mais leur permet d'autoriser la modification et la diffusion de leur œuvre gratuitement et sans leur accord exprès.

Pour une encyclopédie collaborative comme *Wikipédia*, c'est essentiel. Les articles doivent pouvoir être modifiés par n'importe qui pour développer le sujet et l'actualiser. Les contributeurs de l'encyclopédie libre acceptent donc tacitement que d'autres personnes modifient leur texte. Jusque 2009, le contenu de *Wikipédia* est publié sous licence de documentation libre GNU, avant de passer à la licence Creative Commons Attribution-Partage dans les mêmes conditions 3.0 (en abrégé CC BY-SA 3.0), qui signifie que les articles peuvent être partagés, adaptés, y compris à des fins commerciales, à condition de mentionner leurs auteurs et de reproduire sous la même licence.

Bon à savoir

Tout ce qui est disponible sur *Wikipédia* est libre (à quelques exceptions près, dépendant d'une version linguistique à l'autre). Les textes mais aussi les photos ou les dessins peuvent être reproduits, à condition de respecter la licence indiquée.

technologie du wiki

UN CHOIX TECHNOLOGIQUE DÉTERMINANT

En choisissant le langage wiki pour faciliter l'édition des articles de *Nupedia*, Sanger a réellement ouvert la porte à l'encyclopédie collaborative que sera *Wikipédia*. Dès sa création, les articles se développent rapidement. Sans ce choix, le projet d'encyclopédie de Bomis n'aurait probablement jamais décollé. Pourtant, Sanger en sera la victime : *Wikipédia* fonctionnant sans rédacteur en chef, le poste est supprimé et celui qui avait trouvé LA bonne idée se voit contraint de démissionner.

> **QU'EST-CE QU'UN WIKI ?**
>
> Un wiki est une application, inventée en 1995 par l'informaticien américain Ward Cunningham (né en 1949), qui permet l'édition de pages web à l'aide du wikicode, plus simple que le HTML. Le mot signifie « vite » en hawaïen. Par exemple, un lien interne à un site se fait à l'aide de doubles crochets : écrire « [[Barack Obama]] » dans un article de *Wikipédia* permettra de créer un lien vers l'article intitulé Barack Obama. Un outil visuel et plus facile encore a été incorporé à partir de 2013.

UN CONCEPT INNOVANT MAIS CONTESTÉ

Wikipédia devient donc une encyclopédie à laquelle chacun peut participer. Le processus éditorial est des plus simplifiés : quelqu'un écrit un article ; celui-ci est disponible instantanément. D'autres contributeurs peuvent alors le modifier, le corriger, l'actualiser. Toute modification est conservée en historique, ce qui permet d'annuler facilement une modification inappropriée (vandalisme, information non pertinente ou erronée...), de découvrir qui a contribué et de voir comment l'article a été construit.

L'encyclopédie n'est donc plus l'œuvre d'érudits, de spécialistes dans un domaine. Peu importe nos qualifications, nos études, notre métier, nous pouvons tous y collaborer, en respectant néanmoins quelques règles et recommandations.

Le modèle ne plaît cependant pas à tout le monde. Puisque n'importe qui peut y publier de l'information, on peut y trouver n'importe quoi. Pierre Assouline (auteur français, né en 1953) n'hésite pas en 2007 à parler d'« erreur à haut débit » (ASSOULINE (Pierre), « L'erreur à haut débit », in *L'Histoire*, mars 2007), alors que Pascal Rogard (né en 1949), directeur général de la Société des auteurs et compositeurs dramatiques (SACD), traite les contributeurs de « crétins anonymes » sur Twitter en 2012. Pourtant, avec le temps, des règles se sont mises en place pour améliorer le contenu de *Wikipédia* et permettre une plus grande fiabilité. En 2011, le lauréat du prix Nobel de chimie, Harold Kroto (né en 1939), estime même que *Wikipédia* est plus fiable, dans son domaine, que les manuels scolaires.

LE SAVIEZ-VOUS ?

Pour écrire un article sur *Wikipédia*, il ne faut même pas s'inscrire. Si vous cliquez sur « Modifier », vous pouvez réécrire n'importe quelle partie de la page. Votre contribution apparaîtra sous votre adresse IP si vous n'êtes pas connecté. Il existe néanmoins des garde-fous : certaines pages peuvent être protégées et des contributeurs peuvent être exclus temporairement ou définitivement s'ils ne respectent pas les règles.

DÉVELOPPEMENT DU PROJET *WIKIPÉDIA*

UNE CROISSANCE FULGURANTE

Wikipédia s'écrit dans toutes les langues

Si l'origine de *Wikipédia* se situe aux États-Unis et en anglais, son succès est bien mondial et polyglotte. Très vite après la version anglophone, d'autres éditions linguistiques sont créées, en allemand, en espagnol, en portugais, en français, etc. En janvier 2002, elle compte 19 éditions linguistiques. L'année suivante, le nombre de versions a plus que doublé, passant à 52. Aujourd'hui, le site existe en 289 langues et dialectes, même si la version en anglais reste largement la plus fournie. Elle est suivie, en nombre d'articles, par les éditions en suédois, en allemand, en néerlandais et en cebuano (une langue des Philippines). L'encyclopédie francophone arrive en sixième position.

Évolution du nombre d'articles par langue (en milliers)

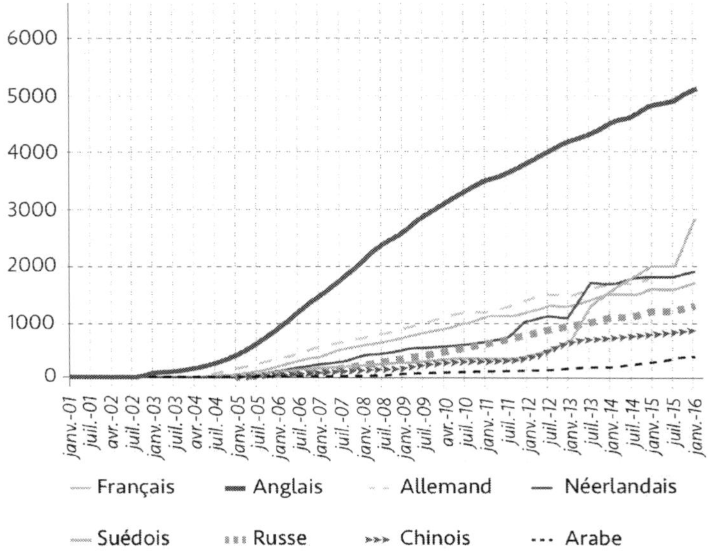

Wikipedia © 50MINUTES.fr

Si toutes les versions fonctionnent sur les mêmes principes fondateurs, chacune dispose d'une certaine autonomie. La communauté décide de certaines règles ou recommandations. L'admissibilité d'un sujet peut ainsi varier, certaines façons de présenter l'information également, sans compter certaines procédures. Les articles sur un même sujet en différentes langues sont rarement la traduction les uns des autres. Vous ne trouverez pas forcément les mêmes informations dans l'article consacré à l'Islande en français, anglais ou islandais. À noter que l'encyclopédie est organisée par langue et non par pays ; il n'existe donc pas par exemple de version belge ou suisse.

Le saviez-vous ?

Bien que l'encyclopédie soit mondiale, son nom n'est pas identique dans toutes les versions. Pour commencer, dans la plupart des langues (et contrairement au français), il s'écrira comme en anglais, sans accent : *Wikipedia*. Mais il peut aussi devenir *Viquipèdia* en catalan, *Wikipedie* en tchèque, *Vikipedio* en espéranto ou, plus étonnant encore, *Güiquipeya* en estrémègne, *Uicipeid* en gaélique écossais, sans oublier les noms en alphabets non latins, comme l'arabe, le chinois, l'hindi, etc.

Les règles indispensables

Un projet tel que *Wikipédia* deviendrait vite chaotique s'il n'existait pas un minimum de règles, de recommandations, de procédures. Jimmy Wales a mis en place cinq principes fondateurs qui ne peuvent être remis en question. Toute règle supplémentaire est déterminée par l'ensemble de la communauté wikipédienne, par consensus. Elles ne sont pas gravées dans le marbre et peuvent être modifiées si un nouveau consensus se dessine.

L'absence de réelle hiérarchie et la cogestion du site par une large communauté peuvent provoquer certaines tensions et en étonner plus d'un, mais dans l'ensemble, *Wikipédia* parvient à être administrée collectivement sans trop de heurts.

Les cinq principes fondateurs de Wikipédia

1. *Wikipédia* est à la fois une encyclopédie généraliste et spécialisée. Ce premier principe décrit également ce qu'elle n'est pas : une tribune de propagande, un journal, une collection de publications inédites, etc. Il interdit ainsi la publication inédite de résultats d'étude (« travail inédit »).
2. *Wikipédia* vise la neutralité de point de vue. Les sujets doivent être abordés sans privilégier une opinion plutôt qu'une autre. De ce principe découle aussi la vérification des informations et donc la citation des sources.
3. *Wikipédia* est publiée sous licence libre. Ce principe décrit le concept et les licences utilisées.
4. *Wikipédia* préconise le savoir-vivre entre contributeurs. Ce principe porte davantage sur la communauté que sur le contenu.
5. Il n'existe aucune autre règle fixe. Ce dernier principe encourage les contributeurs à être audacieux, à ne pas avoir peur de faire des erreurs.

Ce qui fait son succès

Difficile de savoir ce qui a permis à ce projet fou de décoller réellement. Pourquoi des internautes se sont-ils mis à écrire sur différents sujets, à passer des heures à compléter des pages ou à vérifier des informations ? À part un certain enrichissement intellectuel, ils n'ont a priori rien à y gagner...

Cependant, à partir du moment où il a atteint une certaine taille, le site est devenu incontournable. Le réflexe de plus en plus répandu de chercher sur Internet à la moindre interrogation ou au moindre doute a certainement contribué à son succès. D'ailleurs, la plupart des recherches via Google, le moteur de recherche le plus consulté, placent les articles de *Wikipédia* parmi les premiers résultats. Depuis 2012, la visibilité de l'encyclopédie libre s'est encore accrue grâce au *knowledge graph*, introduit par Google : entrez « Victor Hugo » dans le moteur de recherche et vous verrez apparaître, dans un cadre à droite, les premières lignes de l'article de *Wikipédia* consacré à l'écrivain français.

La taille de l'encyclopédie est certainement aussi un facteur de succès. Les quelques 50 000 articles d'*Universalis* font, en effet, pâle figure face au chiffre de 1 700 000 articles de *Wikipédia* ! Il est vrai que l'encyclopédie libre dispose d'une main-d'œuvre gratuite travaillant jour et nuit. C'est aussi grâce à ce « personnel » qu'elle peut se vanter d'être rapidement mise à jour. Pas besoin d'attendre des jours, voire des semaines pour indiquer qu'une personnalité est décédée ou est devenue ministre, par exemple.

WIKIMEDIA FOUNDATION

Création de l'association et des chapitres locaux

Le 20 juin 2003, Jimmy Wales annonce la création de la Wikimedia Foundation, une association à but non lucratif, initialement à St. Petersburg (Floride), où est située Bomis, puis déplacée à San Francisco (Californie). Wales transfère à la fondation les droits de propriété intellectuelle ; celle-ci prend donc le relais de Bomis quant à la gestion de *Wikipédia* et de ses serveurs, localisés aux États-Unis et aux Pays-Bas. Ce transfert traduit la volonté qu'a Wales d'inscrire *Wikipédia* dans un modèle caritatif plutôt que commercial. Employant à l'heure actuelle plus de 200 personnes, la fondation fait la promotion de *Wikipédia* ainsi que des autres projets libres qu'elle développe.

Dès 2004, des associations locales (ou « chapitres ») se répandent également. Celles-ci font la promotion des projets Wikimedia dans leur propre pays (ou région). Actuellement, 41 associations locales sont reconnues, dont plusieurs pour les pays francophones, en Belgique, au Canada, en France et en Suisse.

LE SAVIEZ-VOUS ?

Ni la Wikimedia Foundation ni les associations locales ne peuvent être tenues responsables des contenus des différents sites, animés par les communautés de contributeurs.

D'autres projets sur le même principe

Parallèlement à *Wikipédia*, la Wikimedia Foundation chapeaute plusieurs autres projets, qui fonctionnent également sur un modèle libre et collaboratif.

Lancés dans la catégorie des ouvrages de référence, il est logique qu'après une encyclopédie, les fondateurs s'engagent rapidement dans un projet de dictionnaire. Le 12 décembre 2002 est ainsi lancé *Wiktionary*. Son édition française date de mars 2004 sous le nom de *Wiktionnaire*. Dictionnaire tant explicatif que de traduction, il existe désormais en 172 langues.

Wikibooks, traduit en *Wikilivres* pour la francophonie, est un site collaboratif permettant d'écrire des livres pédagogiques. Créé le 10 juillet 2003 en anglais et un an plus tard en français, il propose aujourd'hui 16 000 pages dans la langue de Molière. Il ne doit pas être confondu avec *Wikisource*, lancé le 24 novembre 2003. Celui-ci propose en effet des ressources libres de droits, soit parce que la licence l'indique, soit parce que ces œuvres sont passées dans le domaine public. Les textes ne sont donc pas collaboratifs, dans le sens où ils ne sont pas l'œuvre des contributeurs. Par contre, la communauté peut participer à la traduction de ces textes. *Wikisource* propose actuellement près de 200 000 textes en français. Proche de ces deux projets, *Wikiversity* (ou *Wikiversité*) propose des ressources éducatives telles que des manuels ou des cours. Le site a été lancé le 15 août 2006.

Un recueil de citations libres existe également : *Wikiquote*, lancé le 10 juillet 2003. Il compte plus de 33 000 citations en français.

Dans un tout autre domaine, *Wikispecies* répertorie les espèces vivantes. Créé le 14 septembre 2004, son contenu est sensiblement le même d'une langue à l'autre. Les noms étant donnés en latin, seules l'interface et les pages mises en valeur sont réellement différentes d'une langue à l'autre.

Davantage orienté vers le grand public, *Wikinews* est un journal collaboratif en ligne. Il publie trois ou quatre nouvelles en français par jour. Les grands faits d'actualité étant généralement synthétisés sur

Wikipédia, l'existence de *Wikinews* est parfois remise en question. Enfin, le dernier site collaboratif du genre est *Wikivoyage*, un guide de voyage collaboratif, relancé le 15 janvier 2013, après une existence chaotique de 2006 à 2012.

Wikimedia Commons et *Wikidata*

Enfin, il existe également deux sites qui sont des projets à part entière bien que fortement liés aux précédents : *Wikimedia Commons* et *Wikidata*.

Lancé le 7 septembre 2004, le premier réunit près de 30 millions de médias libres, essentiellement des images mais aussi des sons ou des vidéos. Tous les projets Wikimédia peuvent ainsi illustrer leurs pages à l'aide des fichiers de *Wikimedia Commons*. Les médias sont classés dans des catégories et sous-catégories et un descriptif peut être ajouté dans différentes langues.

Plus récent, le site *Wikidata* est une base de données factuelles. Lancée le 30 octobre 2012, elle a pour but de centraliser des données, comme la date de naissance ou de mort d'une personnalité, la superficie d'une ville ou d'une localité, etc. Les données factuelles des différents projets pourraient à terme être remplacées par un lien vers cette base de données. En cas d'actualisation ou de correction dans *Wikidata*, tous les sites seraient alors automatiquement modifiés. Mais pour l'heure, nous n'en sommes qu'aux balbutiements et *Wikidata* connaît de nombreux détracteurs, notamment sur *Wikipédia* en français.

La galaxie Wikimedia

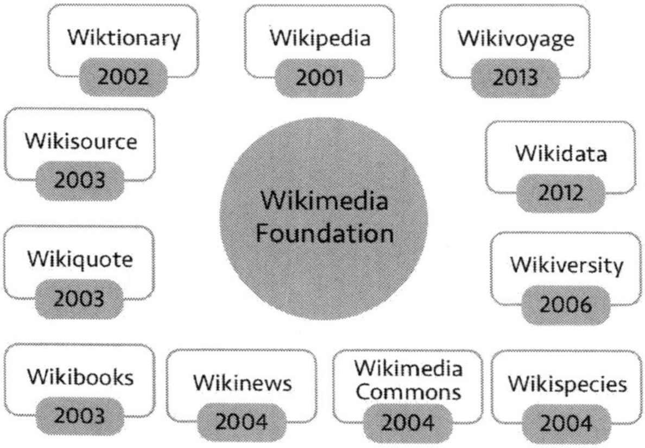

LE FINANCEMENT DES PROJETS WIKIMEDIA

En l'absence de toute publicité sur les différents sites et vu la gratuité de ceux-ci, la Wikimedia Foundation est essentiellement financée par des dons, tirés par des campagnes d'appel aux dons annuelles. Environ 2,5 millions de particuliers répondent favorablement à l'appel et versent, en fonction de leurs moyens, une somme variant de 1 $ à 1 million $. Diverses fondations et entreprises soutiennent elles aussi l'encyclopédie libre, souvent très généreusement. Parmi les fondations, souvent liées à d'anciens hommes d'affaires américains, citons l'Alfred P. Sloan Foundation, la Stanton Foundation, la Ford Foundation ou la Hewlett Foundation. Parmi les entreprises, on compte notamment les géants Google, Microsoft et Apple.

Les autres sources de financement sont la vente de licences pour l'utilisation des marques de la fondation (notamment à Orange ou Facebook) ou le merchandising de produits portant le logo de *Wikipédia* (t-shirts, pin's, mugs, etc.). Au fil des années, les revenus de la fondation ont fortement augmenté : de 80 129 $ pour l'année 2003-2004 (les années fiscales allant de juillet à juin) à près de 76 millions $ pour l'année 2014-2015.

Revenus de la Wikimedia Foundation

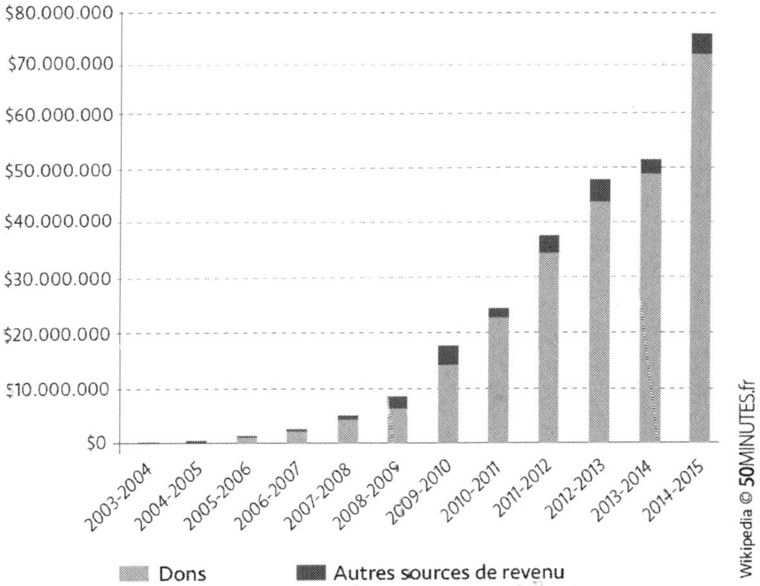

LA CONCURRENCE DANS LA TOURMENTE

En 15 ans, *Wikipédia* est donc devenue un géant dans le monde des encyclopédies. Face à elle, ses concurrentes peinent à encore exister. En janvier 2009, le site Hitwise estime que sur 100 visiteurs uniques américains d'un site d'encyclopédie, 97 ont consulté *Wikipédia*, tandis que 1,27 s'est dirigé vers *Encarta* et 0,57 vers *Britannica*.

Même si *Wikipédia* n'est pas l'unique raison de la disparition de certains de ses concurrents, on ne peut pas nier une grosse part de responsabilité. En 2007, l'éditeur Robert Laffont annonce la disparition de *Quid*, après plus de 40 ans de bons et loyaux services. De son côté, Microsoft met fin à l'édition de son encyclopédie *Encarta* en 2009. *Universalis* et sa maison-mère *Britannica* résistent encore, mais difficilement. Sortie en décembre 2015 de son redressement judiciaire, l'*Encyclopaedia Universalis* se recentre sur le marché de l'éducation numérique, mais a dû se séparer d'une partie de son personnel. La plupart des encyclopédies ont abandonné leur version imprimée au profit des DVD-Rom et d'Internet.

Le succès de la formule donne aussi des idées.

- Google lance ainsi l'encyclopédie *Knol* en 2008. Celle-ci mise davantage sur les auteurs et publie des textes sous licence libre ou sous copyright. Mais le projet ne décolle pas et est abandonné en 2012.
- Mis en ligne en 2006 par Larry Sanger, le fondateur de *Wikipédia*, *Citizendium* est proche de *Nupedia* : une encyclopédie libre vérifiée par des experts. Neuf ans après son lancement, l'encyclopédie propose moins de 17 000 articles dont seulement 160 ont été approuvés par des experts.

WIKIPÉDIA AUJOURD'HUI : LA PLUS GRANDE ENCYCLOPÉDIE JAMAIS CRÉÉE

WIKIPÉDIA EN CHIFFRES

En mai 2016, *Wikipédia* comprend près de 40 millions d'articles. Treize de ses éditions linguistiques dépassent la barre du million d'articles. Dans le monde, plus de 62 millions de personnes se sont inscrites sur *Wikipédia*. Parmi elles, entre 15 000 et 17 000 (cette fourchette restant plus ou moins constante) sont considérées comme des contributeurs actifs sur l'édition francophone, c'est-à-dire qu'elles y ont fait au moins une modification au cours du dernier mois écoulé. En 15 ans, il y a eu plus de deux milliards de modifications, dont plus de 128 millions rien qu'en français. Au mois d'avril 2016, il y a eu en moyenne 12 449 articles créés par jour, dont 347 en français.

Point de vue audience, 751 744 304 pages de la version francophone de *Wikipédia* ont été consultées au mois d'avril 2016. D'après les chiffres de la société Alexa du 19 mai 2016, le site était le sixième le plus visité dans le monde, juste après Yahoo. En France, d'après les chiffres de *Mediamétrie* de mars 2016, *Wikipédia* était le neuvième site le plus visité avec 16 710 000 visiteurs uniques, soit 1 738 000 visiteurs uniques par jour. C'est un succès incontestable en termes d'audience !

LE SAVIEZ-VOUS ?

Si on publiait *Wikipédia* dans le même format que l'*Encyclopaedia Britannica*, la version française compterait à elle seule 573 volumes, tandis que l'ensemble des langues représenterait 16 711 volumes.

FACE À LA CONCURRENCE

Wikipédia est devenue l'encyclopédie en ligne la plus consultée dans bon nombre de pays du monde. Elle supplante largement les encyclopédies déjà en place, tant en nombre d'articles qu'en nombre de visiteurs.

Dans ce panorama, la Chine fait office d'exception. Deux encyclopédies concurrentes y ont vu le jour après *Wikipédia* et devancent pourtant cette dernière par l'importance de leurs contenus. *Baike* est l'encyclopédie chinoise la plus large avec plus de 14 millions d'articles. Elle fonctionne elle aussi sous forme de wiki, mais est liée à un réseau social. À peine plus petite en nombre d'articles, *Baidu Baike* est quant à elle liée à un moteur de recherche très populaire en Chine. Elle contient plus de 13 millions d'entrées.

En Russie, où *Wikipédia* est régulièrement menacée de blocage par les autorités, une encyclopédie participative concurrente a été créée sous le nom de *Wikiznanie*. Annoncée fin 2014, elle comporte actuellement dix fois moins d'articles que la version russophone de *Wikipédia*.

Côté francophone, *Wikipédia* domine largement ses deux principaux concurrents, l'encyclopédie *Larousse* et l'*Encyclopaedia Universalis*, tant sur le plan de la masse de contenu qu'en termes de fréquentation. Les deux encyclopédies traditionnelles restent assez discrètes quant au nombre d'articles qu'elles proposent. *Universalis* donne le chiffre de 50 000 articles quand on l'interroge. L'encyclopédie *Larousse* compte de son côté au moins 150 000 articles.

Nombre d'articles dans les encyclopédies francophones

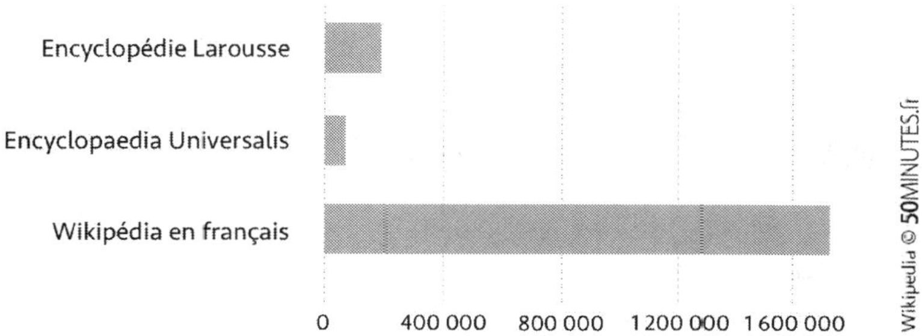

Néanmoins, *Wikipédia* ne considère pas les encyclopédies traditionnelles comme des concurrentes, mais plutôt comme des références : la présence d'un sujet dans l'une d'entre elles est d'ailleurs un gage de validité incontestable dans les débats sur l'admissibilité d'un article. Elles sont aussi considérées comme des sources fiables importantes au sein de la communauté wikipédienne. L'ambition de *Wikipédia* n'est certainement pas de voir disparaître *Universalis* ou *Britannica*.

DES PROJETS EN FAVEUR DES PLUS PAUVRES

La Wikimedia Foundation et la communauté wikipédienne sont animées d'une envie de transmettre un savoir. C'est la raison pour laquelle des initiatives ont aussi été prises au profit des populations défavorisées à travers le monde. L'accès à Internet restant cher, Wikimédia France, l'Institut français (organe chargé de l'action culturelle de la France à l'étranger) et l'Agence universitaire de la Francophonie (agence active dans la coopération entre universités francophones de par le monde) ont développé le projet Afripédia, qui vise à permettre l'accès à l'encyclopédie à l'aide de wifi hors ligne. De même, le projet Wikipedia Zero lancé par la Wikimedia Foundation permet, dans certains pays pauvres, de consulter l'encyclopédie sur son smartphone, sans connexion à Internet et donc gratuitement.

LES DÉFIS

Le plus grand défi du site à l'heure actuelle n'est sans doute plus tant de croître que de se maintenir. En 15 ans, *Wikipédia* a pu trouver suffisamment de contributeurs pour devenir incontournable et assurer une certaine qualité. Il ne faudrait cependant pas qu'elle lasse ses contributeurs bénévoles. D'autant que certains débats, parfois ardus, provoquent des départs de contributeurs très impliqués dans l'encyclopédie.

Il faut ensuite qu'elle parvienne à améliorer ses points faibles, en diversifiant ses contributeurs pour développer des sujets moins bien couverts. On sait par exemple que la communauté wikipédienne est majoritairement masculine. Comment convaincre les femmes de s'impliquer dans un tel projet ? D'autre part, les articles au sujet de l'Afrique restent bien moins nombreux que ceux consacrés à d'autres continents. Des actions sont entreprises pour combler ce vide, mais est-ce suffisant ? Enfin, la communauté scientifique, les universitaires, les élites restent une cible encore à convaincre, même si plusieurs lauréats du prix Nobel ont émis un avis positif sur l'encyclopédie.

faire évoluer les mentalités à transparence de son usage par communauté scientifique

ex = jamais été comme source de biblio-

EN RÉSUMÉ

- *Wikipédia* est une encyclopédie gratuite rédigée bénévolement par des contributeurs du monde entier.
- Le monde des encyclopédies a considérablement été bouleversé par l'arrivée de l'informatique, et d'Internet en particulier.
- L'encyclopédie libre a été créée par les Américains Jimmy Wales et Larry Sanger en 2001.
- Le contenu de l'encyclopédie, y compris les photos, peut être réutilisé légalement en utilisant la licence indiquée.
- « Wiki » désigne la technologie utilisée par *Wikipédia*. Elle permet la rédaction collaborative des articles.
- La Wikimedia Foundation est la fondation qui gère les serveurs, la marque, etc., mais pas le contenu.
- Le projet est financé essentiellement par des dons, qui atteignent actuellement plus de 72 millions $.
- En dehors des cinq principes fondateurs, les règles de l'encyclopédie s'obtiennent par consensus au sein de la communauté wikipédienne.
- Il existe d'autres projets frères, libres et collaboratifs, tels que *Wiktionnaire*, *Wikivoyage*, *Wikispecies*, *Wikimedia Commons*, etc.
- *Wikipédia* est l'un des sites les plus consultés au monde et l'encyclopédie en ligne qui a le plus de succès.

Votre avis nous intéresse !

Laissez un commentaire sur le site de votre librairie en ligne et partagez vos coups de cœur sur les réseaux sociaux !

POUR ALLER PLUS LOIN

SOURCES BIBLIOGRAPHIQUES

- Assouline (Pierre), « L'erreur à haut débit », in *L'Histoire*, mars 2007, consulté le 17 décembre 2015.
  http://www.histoire.presse.fr/actualite/carte-blanche/wikipedia-l-erreur-a-haut-debit-01-03-2007-6324
- Barbe (Lionel), Merzeau (Louise) et Schafer (Valérie) (dir.), *Wikipédia, objet scientifique non identifié*, Paris, Presses universitaires de Paris Ouest, 2015.
- Blondeel (Sébastien) et Thomas (Jean-Marie), *Wikipédia : comprendre et participer*, Paris, Eyrolles, 2006.
- « Knowledge is a foundation », in *Wikimedia Foundation*, 2014, consulté le 1er février 2016.
  https://annual.wikimedia.org/2014/
- « Audience Internet Ordinateur en France en mars 2016 », in *Mediamétrie*, avril 2016, consulté le 19 mai 2016.
  http://webcache.googleusercontent.com/search?q=cache:-NfCoxaKpRgJ:www.mediametrie.fr/internet/communiques/audience-internet-ordinateur-en-france-en-mars-2016.php%3Fid%3D1419+&cd=3&hl=fr&ct=clnk&gl=be
- Rey (Alain), « Encyclopédie », in *Encyclopaedia Universalis*, s.d., consulté le 16 décembre 2015.
  http://www.universalis.fr/encyclopedie/encyclopedie/
- Sawer (Paul), « Larry Sanger on co-founding Wikipedia and how online education could change the world », in *TNW*, novembre 2011, consulté le 6 mai 2016.
  http://thenextweb.com/insider/2011/11/19/larry-sanger-on-co-founding-wikipedia-and-how-online-education-could-change-the-world/

- « The top 500 sites on the web », in *Alexa*, s.d., consulté le 19 mai 2016.
  http://www.alexa.com/topsites
- « Wikimedia Foundation », s.d., consulté le 13 janvier 2016.
  https://wikimediafoundation.org/
  - dont les « Financial reports », consultés le 13 janvier 2016.
    https://wikimediafoundation.org/wiki/Financial_reports
- « Wikipédia », s.d., consulté le 13 janvier 2016.
  https://fr.wikipedia.org
- Zachte (Erik), « Wikipedia Statistics », in *Wikimedia*, décembre 2015, consulté le 8 janvier 2016.
  http://stats.wikimedia.org/EN/TablesArticlesTotal.htm

SOURCES COMPLÉMENTAIRES

- « Creative Commons France », s.d., consulté le 8 janvier 2016.
  http://creativecommons.fr/
- Delsaut (Guy), « Face-à-face entre Wikipédia et l'Universalis en ligne : Peut-on tenter une comparaison ? », in *Cahiers de la documentation*, n° 2013/2, juin 2013.
  http://www.abd-bvd.be/cahiers-de-la-documentation/2013-2/
- Delsaut (Guy), *Utiliser Wikipédia comme source d'information fiable*, Bois-Guillaume, Klog Éditions, 2016.
- Meyer (Susan), *Jimmy Wales and Wikipedia*, New York, The Rosen Publishing Group, 2013.

FILMS ET DOCUMENTAIRES

- Bonnet (Élisabeth), Sainsauve (Marc), Ferraro (Olivier) et al., « Faut-il croire en Wikipédia ? », in *Envoyé spécial*, France 2, 8 novembre 2012. Disponible sur *YouTube*, consulté le 13 janvier 2016 : https://www.youtube.com/watch?v=HnZXicOOTSg

www.50minutes.com

Éditeur responsable : Lemaitre Publishing
Avenue de la Couronne 382 | BE-1050 Bruxelles
info@lemaitre-editions.com

ISBN ebook : 978-2-8062-7870-8
ISBN papier : 978-2-8062-7871-5
Dépôt légal : D/2016/12603/166
Photo de couverture : © Lane Hartwell

Conception numérique : Primento,
le partenaire numérique des éditeurs

Printed by Amazon Italia Logistica S.r.l.
Torrazza Piemonte (TO), Italy

31151643R00022